First published by Parragon Books Ltd in 2015 and distributed by:

Parragon Inc.
440 Park Avenue South, 13th Floor
New York, NY 10016
www.parragon.com

Texto de Malachy Doyle   Ilustraciones de Barroux
Edición de Laura Baker y Grace Harvey   Diseño de Karissa Santos

Traducción del inglés: Rosa Plana Castillón para LocTeam, Barcelona
Redacción y maquetación de la edición en español: LocTeam, Barcelona

ISBN 978-1-4748-3404-9
Printed in China

MARCH 2018

UN OLFATO de CAMPEONATO

Parragon

Milo es la mascota de Molly.
A ella es a quien Milo quiere más.

Pero la nariz de Milo
es muy inquieta...

y le hace ir de aquí para allá.

Cuando un sabroso olor detecta, al hocico de Milo no hay quien detenga...

... pues Milo tiene muy buen olfato. ¡Es un olfato de campeonato!

De paseo se van Molly y su mamá.
Y Milo, **¡GUAU! ¡GUAU!,** con ellas se va.

Pero su nariz tiene un plan mejor: un **SÁNDWICH** lleva ese corredor.

Milo va donde le dicta su olfato...

¡CHOF! ¡Al agua de un brinco ha saltado!

Entonces un olor capta su hocico,
que a Milo le abre el apetito..

Viene de ese bloque de oficinas.

¡Allá va Milo
aventurero!

Patatas fritas, pastel y queso... «Qué bien huele,
¡YO TAMBIÉN QUIERO!»

En el cielo ve un helicóptero.

«¿Es **PIZZA** eso que huelo?»

La nariz le hace saltar,
pero, **¡OH NO!**,
¡no ha podido llegar!

Milo vuela en el helicóptero
agarrado con uñas y dientes.

Y justo entonces su nariz huele...

lunas **MANZANAS** crujientes!

En un enorme
cohete están.
«Me como una
y me voy».

Allá que se mete, pero la
puerta se cierra de repente...

SEIS

CINCO

CUATRO

Milo se ha ido
a otro planeta.

¡FIUUU!

¡ZUM!

¡PLAM!

¡CATAPLAM!

Y al salir ve
que está hecho
¡DE MIEL Y
GALLETAS!

Intenta probarlo,
pero su nariz
detecta otro olor
apetitoso.

Viene de muy,
muy lejos, ¡pero
huele delicioso!

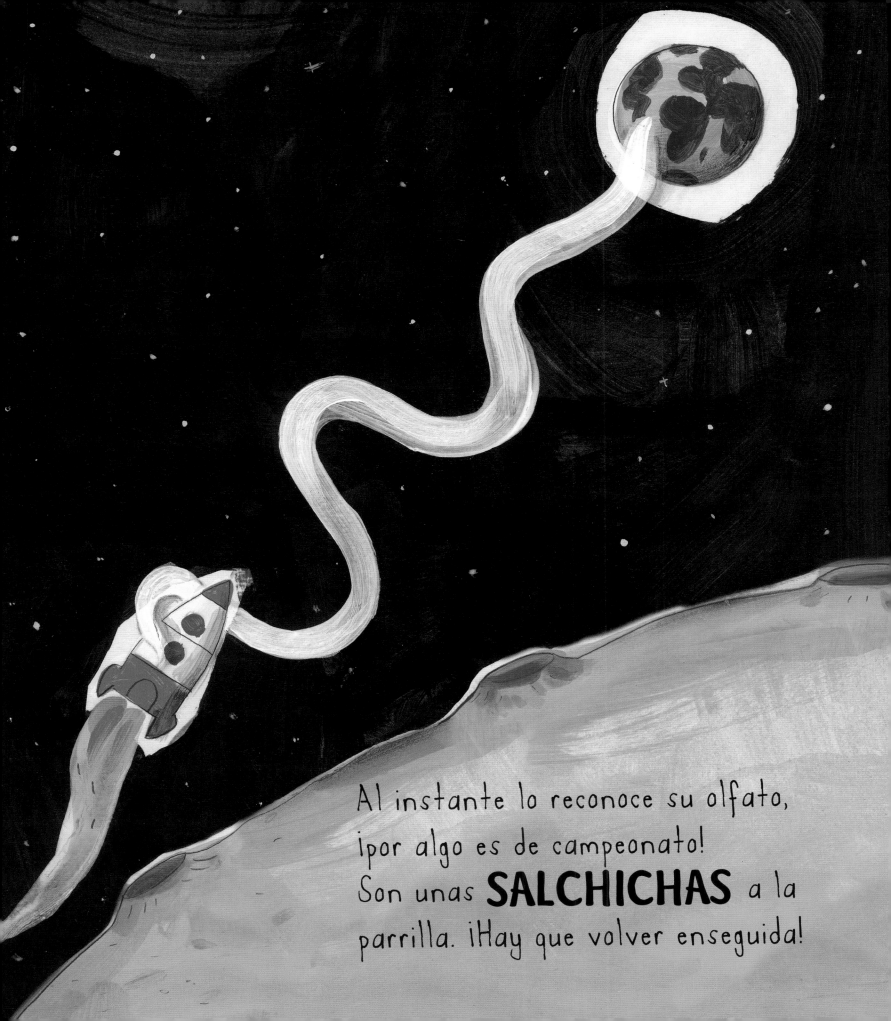

Al instante lo reconoce su olfato,
¡por algo es de campeonato!
Son unas **SALCHICHAS** a la
parrilla. ¡Hay que volver enseguida!

—¡Milo, has vuelto! —dice
Molly—. ¿Dónde habías estado?
Milo solo mueve el rabo.
¡Imposible resumir lo pasado!

Molly se alegra tanto de verle que le da
¡UN PREMIO ESPECIAL!

¡Milo también está contento,
y puede comer al final!

Puede que Milo se escape
un rato y deambule tan feliz.
Pero su olfato de campeonato
siempre le hará regresar...

¡A MOLLY, LA COMIDA y SU HOGAR!